TU L'AS *LOCALISÉE* ?

NON... IL Y A UN TRUC QUI CLOCHE !

LA RÉCEPTION EST *BROUILLÉE* !

CES TYPES SONT DES *BONS* – ILS ONT RÉUSSI À *TOUT* BROUILLER ! IMPOSSIBLE DE DISTINGUER LES BONS SIGNAUX !

ATTENTION, FILS. ON NE SAIT PAS DE QUOI CET ENGIN EST CAPABLE.

PAS DE SOUCI ! J'AI *DÉJÀ* PASSÉ TOUS LES *CODES DE PROTECTION* !

JE M'AP-PROCHE...

JE VAIS FERMER TOUTES LES MÉMOIRES, PUIS RÉINITIALISER...

MYSTERY INC

SHUT DOWN

DISPARU !

IL EST À NOUS !

ARGGHHH ! J'AI *VRAIMENT* RÉUSSI MON COUP !

POURQUOI CE VOLANT EST-IL *BLOQUÉ* ?!

CLIC! PARCE QUE *NOUS* AVONS PRIS LE CONTRÔLE...

... INSTALLEZ-VOUS, ET *PROFITEZ* DU VOYAGE. VOUS N'EN FEREZ PAS *D'AUTRE* AVANT UN BOUT DE TEMPS !

LE *SUPER SYSTÈME HYDRAULIQUE*, LA *TRANSMISSION IMAGE* ET *LE SYSTÈME DE POSITIONNEMENT GLOBAL* ONT *SUPER BIEN* MARCHÉ !

EH BIEN, LES AMIS, LE NOUVEAU MYSTERY MACHINE AMÉLIORÉ A PASSÉ LE TEST...

... IL FAUT VRAIMENT *FÊTER ÇA* !

BIEN, MES *SACS DE COURSES* SONT TOUJOURS LÀ, ET LE PLUS IMPORTANT AUSSI !

C'EST QUOI ?

UNE PETITE *GÂTERIE* ! POUR FÊTER LES *BONNES CHOSES* DE LA VIE !

COMME LES *GÂTEAUX* AVANT LE DÎNER ! MIAM !

SCOOBY-DOOBY-DOO!

FIN

C'ÉTAIT QUOI, ÇA ??!

JE SAIS PAS ET JE VEUX PAS SAVOIR ! ALLONS-NOUS-EN D'ICI !

SPLASH

OUAIS, OUAIS ! R'GARDEZ, LÀ-BAS !

BONNE IDÉE !

C'ÉTAIT L'HOMME-POISSON DU LAC HALIBUT ! IL FAIT PEUR À TOUS LES VACANCIERS !

RANGER

ON POURRAIT VOUS AIDER.

OUI ! ON A BEAUCOUP D'EXPÉRIENCE, ON S'Y CONNAÎT EN MYSTÈRES !

MERCI, JEUNES GENS, ON A DÉJÀ QUELQU'UN !

NE VOUS EN FAITES PAS. QUAND J'EN AURAI FINI AVEC CET HOMME-POISSON, IL NE SERA PLUS BON QU'À MANGER PANÉ AVEC DE LA MAYO !

16

EH BIEN HANNIBAL, CE GROS CHÈQUE EST BIEN MÉRITÉ ! MERCI...

ATTENDEZ !

C'EST UN ESCROC !

NOUS AVONS APPELÉ TOUS LES SOI-DISANT CLIENTS D'HANNIBAL DEPUIS L'AUBERGE. C'EST UN AFFABULATEUR !

AVEC SON ASSOCIÉ, ILS VOYAGENT DANS LE MONDE ENTIER, L'UN FAIT LE MONSTRE ET L'AUTRE, LE CHASSEUR DE MONSTRES. ILS CRÉENT LE PROBLÈME, PUIS SE FONT PAYER POUR LE RÉGLER !

CE QUI EXPLIQUE LES DEUX ORDONNANCES DE LUNETTES... ET LE MAQUILLAGE WATERPROOF ! HANNIBAL ET SON ASSOCIÉ ONT INVENTÉ L'HOMME-POISSON !

QU'EST-CE QUE VOUS RACONTEZ ? CET HOMME-POISSON EST BIEN RÉEL, ET MORTELLEMENT DANGEREUX !

SNIFF SNIFF

IL A FAILLI TUER M...

SNIFF ! SNIFF !

HI HI !

QUEL TIMING, ED.

J'AI PAS PU RÉSISTER, HANNIBAL... ÇA CHATOUILLE !

J'EN AI ASSEZ VU !

M'DITES PAS QU'VOUS AUT', Z'AVEZ INSCRIT UN CHEVAL AU RODÉO ?

C'EST PAS UN *CHEVAL*, C'EST *SCOOBY-DOO* !

CET HOMME ÉTRANGE, IL A QUELQUE CHOSE À VOIR AVEC LES FAITS MYSTÉRIEUX DONT VOUS AVEZ PARLÉ À FRED ?

HA HA ! ROLLIE ? C'EST UN DES CLOWNS ! VOUS N'AVEZ JAMAIS VU DE RODÉO, LES GOSSES ?

NON...

NON !

MINCE ALORS ! JE VOUS FAIS VISITER.

ICI, LES ÉTABLES !

SCOOBI S'EST DÉJÀ FAIT UNE AMIE !

ROH OH !

VOICI *CODY* ET *PETE*, LES DEUX AUTRES CLOWNS.

BEN, ON *DIRAIT PAS* VRAIMENT DES CLOWNS.

UN CLOWN DE RODÉO EST LÀ POUR DISTRAIRE LE TAUREAU OU LE CHEVAL ET POUR PROTÉGER LES CAVALIERS QUAND ILS TOMBENT, FILS. ILS SONT DONC EXPERTS EN CHEVAUX ! *TOUT LE MONDE* TRAVAILLE DEUX FOIS PLUS DUR PENDANT LES *RODÉOS* !

VOICI NOTRE **VÉTÉRINAIRE** ET **SECRÉTAIRE**, MILDRED MILLER.

RAVIE DE VOUS RENCONTRER.

B'JOUR !

C'EST MILDRED QUI *A VU* LE CROQUEMITAINE.

ON AURAIT PLUTÔT DIT UN **FANTÔME**.

EUH, FANTÔME ?!

FANTÔME ?!

DIS-LEUR CE QUE TU AS VU, MILDRED. J'AI DEMANDÉ À CES JEUNES DE VENIR NOUS AIDER À RÉSOUDRE LE MYSTÈRE.

C'ÉTAIT SAMEDI DERNIER, LE SOIR...

« J'ÉTAIS EN TRAIN DE COMPTER LA RECETTE QUAND J'AI ENTENDU DU BRUIT DEHORS, VERS LES BOXS DES CHEVAUX. »

HIIIIIIIII ! HIIIIIIIII !

« JE SUIS SORTIE DE MA ROULOTTE POUR ALLER VOIR. »

« VOUS AVEZ REFERMÉ LA PORTE ? »

« NON. LE RODÉO, C'EST UNE GRANDE FAMILLE. »

« RIEN À SIGNALER DANS LE CORRAL... »

TOUT CE BRUIT POUR RIEN, ALORS ?

« ... JE SUIS DONC RETOURNÉE À MA ROULOTTE. »

« ET C'EST LÀ QUE J'AI VU LE FANTÔME, QUI ME FONÇAIT DROIT DESSUS ! »

« J'AI CRU MOURIR DE PEUR ! »

QUAND J'AI ENFIN EU LE COURAGE DE RENTRER, L'ARGENT S'ÉTAIT ENVOLÉ !

ELLE EST TOUT DE SUITE VENUE ME VOIR. ON A APPELÉ LE SHÉRIF, MAIS DÈS QU'ON A PARLÉ DE FANTÔME...

À CAUSE DE TOUS LES ACCIDENTS, LES GARS DISENT QUE LE RODÉO EST HANTÉ

QUELS ACCIDENTS ?

D'ABORD, ROLLI S'EST FAIT TRÈS MAL À LA JAMBE. PUIS LES FREINS DE MA CAMIONNETTE ONT LÂCHÉ. ENSUITE, ON A EU LE FEU...

BON SANG, JE NE CROIS PAS AUX FANTÔMES, MAIS...

NE T'EN FAIS PAS, ONCLE JESSIE : CE *N'ÉTAIT PAS* UN FANTÔME.

COMMENT EN ÊTES-VOUS SI SÛRS ?

ON A APPRIS AU MOINS UNE CHOSE...

... CE SONT LES *ESCROCS*, PAS LES *FANTÔMES* QUI ONT BESOIN D'ARGENT !

FANTÔMES ? ESCROCS ? BEN, ON N'AURAIT PAS PU RESTER À LA MAISON À GRIGNOTER DES SCOOBY SNACKS ?

SCOOBY SNACKS ! OUAIS !

QUI SAIT QUE LE DOCTEUR MILDRED TIENT AUSSI LES COMPTES ?

EH BIEN, *TOUT LE MONDE* ! JE VOUS L'AI DIT, TOUT LE MONDE TRAVAILLE DUR.

ALORS, LE VOLEUR EST PROBABLEMENT DANS L'ÉQUIPE...

... IL *SAIT* QUE DOC MILDRED EST *SEULE* QUAND ELLE FAIT LES COMPTES !

JE NE VEUX PAS ACCUSER UN DE MES GARS SANS AVOIR DE PREUVE.

NOUS ALLONS EN TROUVER.

EN GARDANT LES YEUX ET LES OREILLES BIEN OUVERTS, NOUS DEVRIONS TROUVER LE RESPONSABLE !

BEN, SCOOBY ET MOI, ON COMMENCE NOTRE ENQUÊTE À LA BUVETTE !

OUAIS ! BUVETTE ! SLURP !

SÉPARONS-NOUS, ET RENDEZ-VOUS DANS UNE HEURE.

VIENS, SCOOBY !

BEN, UN MONSTRE, UN FANTÔME OU UN ESCROC NE TRAÎNE- RAIT PAS À LA BUVETTE !

ILS ONT P'TÊT' DES BROCHET- TES !

BROCHETTES ! MIAM !

ÇA FAIT PAS VRAIMENT PEUR, ICI !

14 SODAS ORANGE...

OUAIS !

PENDANT CE TEMPS...

HMMM...

OUPS ! OH, PARDON...

HEIN ?

GASP ! *VOTRE VISAGE* !

PARDON, M'DAME, J'DOIS FAIRE PEUR.

OH, JE VOIS ! VOUS ÊTES UN DES CLOWNS ?

OUI M'DAME, *PETE, LE TORERO.*

TORERO ?

CERTAINS CLOWNS COMME CODY SONT LÀ POUR FAIRE *RIRE.* LES AUTRES, COMME *ROLLIE,* SONT CHARGÉS DE *DISTRAIRE* LES TAUREAUX À L'AIDE DE TONNEAUX.

QU'EST-CE QUE VOUS FAITES, VOUS ?

JE LUTTE CONTRE LE TAU- REAU, QUAND LE CAVALIER TOMBE OU QU'IL EST EN DANGER !

C'EST LA RAISON DE CE MAQUILLAGE : JE DOIS AVOIR L'AIR CORIACE ! GRR !

HA HA HA !

CE SOIR-LÀ...

BIENVENUE AUX FANS DE RODÉO !

DANS QUELQUES MINUTES, LE SPECTACLE !

B'SOIR ! ON VOUS A RÉSERVÉ LES MEILLEURES PLACES !

GRADINS→

COWBOY !

C'EST SUPER !

ET LE POP-CORN EST BON !

CLAP

CLAP

CLAP

CLAP

HANK LE BEAU EST SECOUÉ DANS TOUS LES SENS, IL TIENT BON...

IL N'EST PLUS EN SELLE...

SCOOBY SNACKS

IL Y EST À NOUVEAU !

OUH LÀ !

MAZETTE !

RAH !

ET MAINTENANT, LE CLOU DE SPECTACLE... LE RODÉO DE TAUREAU !

DANS QUELQUES MINUTES, LES CLOWNS NE VONT PAS TARDER !

SI ON ÉTAIT CLOWNS DE RODÉO, ON MANGERAIT DES *BROCHETTES* TOUS LES JOURS, SCOUBI !

OUAIS !

LE VOILÀ ! UN VRAI TONNEAU DE RIRES, PAS VRAI LES AMIS ?!

HA HA HA

ET VOICI RONNIE WAGNER, SUR LE TAUREAU !

PAS POUR LONGTEMPS !

IL EST TOMBÉ EN DEUX SECONDES !

BEN, CLOWN DE RODÉO...

... C'EST PAS POUR NOUS !

R-HI HA !

LES JEUNES, VENEZ, VITE ! LE FANTÔME !

ÇA VIENT JUSTE D'ARRIVER !

JE COMPTAIS LA RECETTE, J'AI SENTI DE LA FUMÉE...

... J'AI ATTRAPÉ L'EXTINCTEUR ET JE SUIS SORTIE...

... ET QUAND JE SUIS RENTRÉE DANS LE BUREAU, IL EST SORTI, COMME L'AUTRE FOIS !

MILDRED, ÇA VA ?

REGARDEZ, CETTE TRACE BLANCHE ! C'EST DU BLANC DE CLOWN ! LE FANTÔME A DÛ SE COGNER DANS LA PORTE EN SORTANT.

BLANC DE CLOWN ?

LEUR MAQUILLAGE. J'AI VU PETE CET APRÈS-MIDI, PENDANT QU'IL S'EN METTAIT. MAIS, PETE TRAVAILLE SUR LA PISTE. ÇA NE PEUT PAS ÊTRE LUI.

CE TRUC EST VRAIMENT GRAS, ET DIFFICILE À ENLEVER.

JE PARIE QUE NOTRE « FANTÔME » EN A ENCORE SUR LE VISAGE !

SÉPARONS-NOUS, ET FOUILLONS LE COIN !

LE RODÉO EST TERMINÉ : C'EST LE BON MOMENT.

BANDE DE FOUINEURS.

SORTIE

PENDANT CE TEMPS...

JE LE VOIS ! FRED, MAINTENANT !

HI-HA ! JE T'AI EU, VOYOU !

NON !

ROLLIE ?!

POURQUOI T'AS FAIT ÇA, VIPÈRE ?

PERSONNE NE RESPECTE LES CLOWNS. JE VOULAIS OUVRIR MON RODÉO À MOI, ET QU'ON SOIT LES STARS, NOUS !

ET SANS CES MAUDITS GAMINS, J'AURAIS RÉUSSI MON COUP !

ALLÔÔÔ ! BEN, QUELQU'UN PEUT NOUS SORTIR DE LÀ ?

S'COURS !

OH, IL N'EST PAS DANGEREUX !

PLUTÔT MALIN LE ROLLIE, IL AVAIT UNE BONNE CACHETTE !

QUI AURAIT FOUILLÉ UN TONNEAU SANS FOND ?

NOS DEUX ESTOMACS SANS FOND, SAMY ET SCOOBY, BIEN SÛR !

SCOOBY-DOO BY-DOO !

HA HA HA HA HA HHA HA

FIN